郑栗儿/著

孙静玲/绘

大师密码 A-Z系列

大师密码V

辩论大牛王

人民东方出版传媒
People's Oriental Publishing & Media
東方出版社
The Oriental Press

图书在版编目（CIP）数据

大师密码 . V, 辩论大牛王 / 郑栗儿著 ; 孙静玲绘 . —北京 : 东方出版社 , 2015.11

ISBN 978-7-5060-8746-9

Ⅰ. ①大… Ⅱ. ①郑… ②孙… Ⅲ. ①儿童故事—作品集—中国—当代 Ⅳ. ① I287.5

中国版本图书馆 CIP 数据核字（2015）第 267151 号

本书由台湾东初文化事业股份有限公司独家授权
中文简体字版专有权属东方出版社
著作权合同登记号 图字：01-2014-7440 号

大师密码 V：辩论大牛王
（DASHI MIMA V: BIANLUN DANIUWANG）

作　　者：郑栗儿
绘　　者：孙静玲
产品经理：张媛媛
责任编辑：张媛媛
出　　版：东方出版社
发　　行：人民东方出版传媒有限公司
地　　址：北京市东城区朝阳门内大街 166 号
邮政编码：100706
印　　刷：小森印刷（北京）有限公司
版　　次：2016 年 3 月第 1 版
印　　次：2016 年 3 月第 1 次印刷
印　　数：1—5 000 册
开　　本：720 毫米 ×950 毫米 1/16
印　　张：5
字　　数：48 千字
书　　号：ISBN 978-7-5060-8746-9
定　　价：18.00 元
发行电话：（010）64258117 64258115 64258112

每个父母都希望孩子未来能出类拔萃，并在孩子的教育问题上倾尽心力。

许多孩子长大后成熟乐观，在社会上如鱼得水，但不少人成年后并不快乐。他们即使地位显赫、经济条件优越，依然郁郁寡欢。带来快乐的因素有很多，其中起决定作用的则是人格。面对同样的问题，不同的人格往往造就不同的结果。

怎样才能培养健全的人格？我们不妨到传统文化中去寻找答案。几千年来，儒、道、佛相得益彰，共同塑造着国人的精神世界。儒家关切社会的治理，道家关怀生命自然状态的保持，而佛家则关心人生痛苦的解除。故此，历史上就有“儒家治世、道家治身、佛家治心”的说法。

今天很多人习惯于将佛教简单理解为一种宗教，有的人甚至认为它是封建迷信。如果去掉宗教的外衣，它其实是一座充满智慧，兼具心理、品德教育功能的文化宝库。

为此，我们从台湾引进了这套“大师密码”A-Z系列。这套书以130个佛教大师的成长故事，体现了130个美好的人格特质。沉着、孝顺、无畏、远见……从这些有趣的故事里，孩子们不但可以学会如何获得成功，更能明白如何倾听内心的声音，获得快乐。

这套书结构编排巧妙，集合了台湾优秀的作家及插画师。书中故事生动活泼，插画精美，在台湾广受好评，曾获得台湾“第27次中小学生优良课外读物推介”。相信它同样会得到大陆青少年朋友的喜爱。

大师的密码　成功的特质

在我还是青少年时，就很喜欢阅读佛教大师的传记故事。可以说，我的人格就是从阅读大师的史传故事，点点滴滴建立起来的。

不论大人、小孩都喜欢读故事，法鼓文化历时两年的筹备，制作了这套有丰富精美插画的“大师密码”A–Z系列。这套书中，选出130个“大师的美好特质”，一个特质就是一个大师故事，让孩子在趣味的故事中自然吸收大师的养分。

我曾指出佛教的高僧必须具有四大条件：持戒清净、修行精进、慈悲济众与护持佛法；如果转换成现代人的语汇，就是自律、认真、宽大、懂得回馈，而这些正是所有成功人士必备的条件。

很多家长以为孩子学佛会变得消极、不具竞争力；如果从大师的四大条件来看，这样的想法完全错误！孩子接触佛法绝对会更积极、健康，能为他们的一生奠定稳固的基础。

大师们的成就绝非偶然，也没有人一出生就是大师，父母应该提供这样的环境，让人格正在成长形塑中的孩子，吸收历代大师们的生命菁华，转化为他们自己的。我相信这一套“大师密码”A–Z系列，能够成为孩子们成长的助缘！

聖嚴

台湾法鼓山禅修文教体系创办人

无悔的誓愿

大师密码

Vow 誓愿

如果出国留学一趟，要变卖全部的家产，一般人恐怕都要打退堂鼓了。但西藏的马尔巴是位个性坚毅的人，一旦下定决心就决不退缩，他不但变卖了全部家产去交学费，而且还在印度留学了十几年，咬紧牙关撑过所有的苦日子。

马尔巴原本随着外号为“八蛇精”的鲁杰巴老师读书习字，十五岁时改随从印度学法回来的卓弥学习，卓弥没传他佛法，只教他梵文。具有语言天赋的马尔巴，很快就学会了梵文，这就奠定了他成为藏梵大译师的基础。为了学法，马尔巴变卖了全部家产去了印度三次、尼泊尔四次，不但学会了多种珍贵的修行法门，还将所取得的印度经典，翻译成藏文。马尔巴所创建的西藏噶举派，发展为四大支派、八小支派，贡献卓越。

小档案 马尔巴

- 国籍：中国
- 别称：噶举派始祖
- 专长：密法、翻译
- 影响：为重要的藏梵大译师
- 事迹：誓言赴印学法，果成一代大师

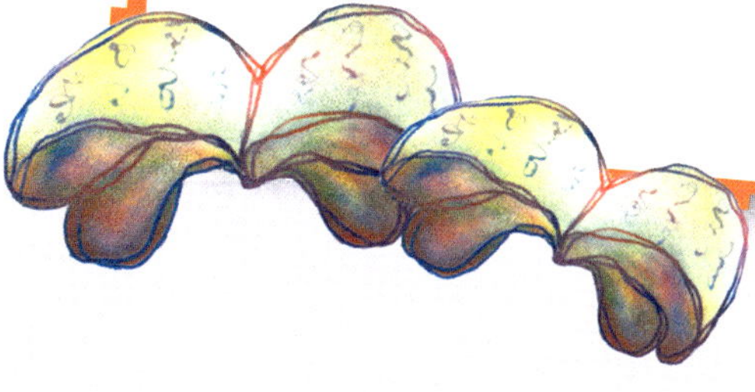

大雨连下了三天三夜，寺院里挤满了躲雨的人，大家都安静地等待雨过天晴，突然有人打破沉寂大喊："马尔巴，这么巧，我们又见面了！"

马尔巴回头一看，原来是一起从西藏来印度的虐译师❶。

当初为了到印度求法，马尔巴曾答应在旅程中担任虐译师的仆人，因为家财万贯的虐译师提议说："我身上带了不少钱，却缺少一个伺候我的人，只要你肯当我的随从，去印度的吃住费用就算我的。"

就这样，两人一起结伴同行，直到尼泊尔才分手，随后走向各自的学法道路。

❶ **译师**：翻译经论的法师。

阔别许久后再度重逢，两人兴奋地谈起了分别后的遭遇，一向养尊处优的虐译师问马尔巴："你在印度学了什么法？"

马尔巴老实地回答："我师父那洛巴尊者要我学习'密集金刚法❷'。"

虐译师一听，兴致勃勃地提议："这法我也会，咱们来辩论一下吧！"

于是两人就在寺院的角落里，当场辩论起来，结果马尔巴赢了。

❷ **密集金刚法**：从印度传入西藏的一种密宗修法，密集金刚为此修法的观想对象。

虐译师不服气地说："密集金刚法早就传到西藏，已经不稀罕了，现在印度盛行的是'大幻化网法❸'，你会吗？我们再来辩一辩吧！"

马尔巴不懂此法，只好哑口无言地看着虐译师像只炫耀的孔雀，洋洋自得。

❸ **大幻化网法**：从印度传入西藏的一种密宗修法，为调伏幻象的教法。

不久，雨终于停了，马尔巴回到那洛巴尊者身边后，把事情的经过说了一遍，并提出请求：“师父，您能不能传我这个法呢？”

那洛巴尊者脸色凝重地说：“我不能传这个法给你，你去跟希瓦桑布学吧！”

看着马尔巴求法若渴的脸，那洛巴尊者虽不想泼他的冷水，但仍把一路上可能遭遇的危险先作说明：“这段求法的路途既遥远又危险，你会遇上毒蛇猛兽和鬼魅的干扰，还要涉水穿越有毒的湖泊，才能到达一处隐秘的荒岛找着希瓦桑布。当你看到长得像一只长毛猴子的希瓦桑布时，千万不要被他丑陋的外表给吓到了，要毫不犹豫地向他请法，绝对不能有任何迟疑。”

最后，那洛巴尊者不放心地问：“这样危险的地方，你敢去吗？”

马尔巴点点头：“我在西藏变卖了所有的家产，立誓要来印度向好老师求法，如果连这一个难关都不敢尝试的话，不就违反了誓愿吗？”

于是，马尔巴不顾生命危险，历经重重障碍，终于得到了希瓦桑布的认可，并传法给他。

后来，马尔巴告诉虐译师自己已学成大幻化网法，想讨论两人所学是否一致，没想到却激起了虐译师的好胜心：“好啊！那我们现在再来辩个高下。”

马尔巴很轻松就获得了胜利，这让虐译师很不高兴，并因此种下日后向马尔巴报复的恶果。

马尔巴继续向多位非凡的印度老师学法，转眼十二年过去了，马尔巴心想：“我身上的盘缠已经快用完了，不如先回西藏弘法，待筹措资金后再来印度供养师父。”

马尔巴决定后，便向那洛巴尊者表明回藏的心意，并在师父面前立了一个宏愿：“我回到西藏后，要弘扬在印度所修炼的珍贵密法，希望师父能够支持我。”

那洛巴尊者欣然同意了：“你这个誓愿非常难得，一定要尽力完成它。有些你来不及学习的法门，等你下次重返印度时，我会再教导你。”

这时虐译师恰巧也准备返家，两人便又相约一起回西藏。虐译师心里暗想："论起财富，虽然我远远胜过马尔巴，但论起学法，却是马尔巴更为精通，我得想个办法整一整他。"

心生嫉妒的虐译师，故作好心地对马尔巴说："你已经是得道的高人了，怎么还自己背经书，我请别人帮你背吧！"

马尔巴万万没想到，帮忙背经书的人早被虐译师买通了，在过河时，那人假装不小心脚下一滑，将马尔巴的书籍经卷全部掉进汹涌的河流中。

马尔巴看着经书随着河水一本本卷走，来不及抢救时，整个人都呆住了，十二年来访师求法的种种酸甜苦辣，历历在目。

好不容易才求到的珍贵法门，如今竟然全部化为乌有，让马尔巴内心十分痛苦，他悲伤地想投河跟随那些经书漂流而去，幸好老师的教诲实时浮现于脑海："马尔巴，别忘了你求法的誓愿，是为了回西藏救度更多的人。"

马尔巴顿时清醒过来，看着一旁窃笑的虐译师，猜想这一切可能是他的所作所为，虽然不想报复，但还是想问清楚事实，虐译师却一味地慌张否认，心虚地回应说：“回西藏后，我的经书借你抄就是了，你可千万别跟任何人说起此事。”

马尔巴叹了口气，说：“你我的老师不同、学习内容不同，抄了有什么用？”

马尔巴不再向虐译师追究，决定赶紧回去，再速去印度取经。

在回西藏筹备好学法费用后，马尔巴再度去印度向那洛巴尊者及各位老师请法，并履践他的誓愿，将珍贵密法带回西藏。马尔巴不但成为西藏一代大译经师，还将许多印度经典经书翻译成西藏版本，并创建了西藏的噶举教派❹。

❹ **噶举教派**：公元十一世纪，为马尔巴所创，由他的弟子密勒日巴继承。藏语“噶举”的意思为“口授传承”，本派非常注重师徒间以言语亲传的继承，教法以“大手印”为代表。

遗失的宝藏

大师密码 Volunteer 发心

中国天台宗曾遇到典籍失传的重大困境，每当需要查阅天台经义，却连一本经书都找不到，因为那些经书都被战火烧毁了。幸好宋朝的义寂发起了大愿，一肩挑起寻回天台经典的重任。

义寂十二岁时，就向父母请求出家为僧。他如愿在开元寺出家，从此随着老师专心修学佛法。由于义寂自己常遇到天台宗无经可读的困惑，深知重新寻回天台经论的重要性，便通过吴越忠懿王钱俶的帮助，将天台经论从日本、高丽等海外各国重新收集回国，让天台典籍终于能够在中国重现。所以，义寂深受忠懿王的敬重，曾为忠懿王讲解《法华经》。因此，忠懿王专门为义寂兴建螺溪寺作为弘法道场，以此中兴天台宗，义寂因此又被称为“螺溪尊者”。

小档案 义寂

- 国籍：中国
- 别称：螺溪尊者
- 专长：佛学
- 影响：中兴中国天台宗
- 事迹：发愿重新找回天台宗的散失经典

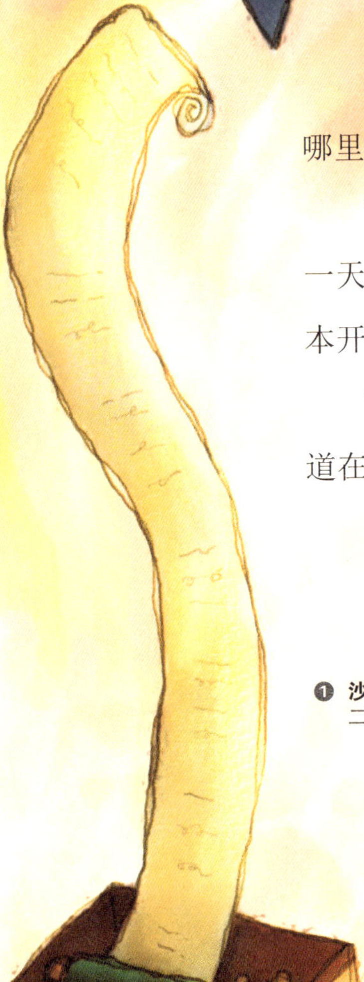

有位法师一天到晚总是皱着眉头，不知道他哪里不开心。

“自从来到天台山以后，义寂师父好像没有一天笑过！”几个沙弥❶在交头接耳，不明白原本开朗的义寂，个性为什么突然改变了。

“而且他每天都待在藏经楼，翻箱倒柜不知道在找什么。”

❶ **沙弥**：指佛教僧团中，尚未受完整戒律，年龄在七岁以上、未满二十岁的出家男子。

年纪最小的小沙弥连连点头：“对呀！有一次我经过时，还问师父在找什么，义寂师父说他在寻宝。”

所有人的眼睛都睁得像龙眼一样：“寻宝？我们天台山有宝啊？”

大家一致推选小沙弥向义寂师父进一步打探消息：“你去向师父问清楚！”

小沙弥无辜地说：“为什么是我？”

“谁叫你年纪最小！”说完，众人便一哄而散了，只留下傻愣愣的小沙弥：“这是什么理由？”

就这样，小沙弥接了一项艰巨的任务，一有空就盯着义寂师父，并悄悄跟踪。

可是，根本没什么收获，只听见义寂师父在藏经楼里不停地叹气：“哎呀！怎么都找不到呢？”

小沙弥沉不住气了，两天后，他就出现在义寂师父面前，自告奋勇地说：“师父别再叹气了！您是不是在找藏宝图，我来帮您找好了！”

义寂疑惑地问：“什么藏宝图？”

小沙弥率直地说：“您上回不是跟我说，您在寻宝吗？而且我知道您找不到宝藏，心里很不开心，所以才一天到晚叹气。”

义寂师父听后，总算笑了："我要找的宝藏，是我们天台宗❷散失的经典，可不是一般的金银财宝。"

小沙弥呆头呆脑地又问："我们天台宗的教典怎么会不见了呢？"

义寂师父说："自从安史之乱后，又历经了五代十国的纷争，天台宗的教典在战火中，被抢夺烧毁了大半，只剩下一些断简残篇。我来到天台山后知道了这些情况，非常痛心疾首，所以才发心要把本派的教典全部搜集整理出来，没想到现在还是一无所获。"

❷ **天台宗**：中国六朝时，智𫖮大师在天台山创立的教派，依据《法华经》而建立的思想体系，所以又称为"法华宗"，为中国八宗之一。

小沙弥终于明白义寂师父皱眉头的原因了，不免感慨地问：“那我们该怎么找出失去的教典呢？”

义寂法师回答：“整个天台山我已经找过了，现在我准备到各大寺院再去找找看！”

小沙弥点头回应说：“师父，那您要加油啊！希望会有好消息。”

过了几天，在天台山全部僧侣寄予厚望的祝福声中，义寂师父背负着沉重的使命，开始游走各地，寻找失去的教典。可惜，义寂师父辛苦奔波多年，只找到了一部天台教典，其余都石沉大海。

当时，吴越忠懿王也是一位相当虔诚的佛教徒，他很喜欢阅读佛教的经论，常到寺院向一些高僧请益。

有一次，吴越忠懿王读到一句佛偈，想了半天却还是弄不懂它的意思，心想："奇怪，我读了不少经典，可是这首偈子，我就是百思不得其解。"

吴越忠懿王不想浪费力气多想了，他直接去请教著名的德韶禅师，没想到德韶禅师听完吴越忠懿王提出的问题后，也跟着摇头："你说的这句佛偈，内容是天台宗的教义，我是一个禅僧，并不清楚，建议您去问义寂法师吧！他是天台宗的继承人。"

吴越忠懿王因此宴请义寂法师，并把心中的疑问提了出来：“这句佛偈听说出自天台宗，您是天台山著名的人物，能否为我详加解释呢？”吴越忠懿王说完话后，又把佛偈好好地朗读了一遍，字字清晰。

但义寂法师也没有听懂，只知道确实是本门的教义，由开山祖师智顗所写。一想到自己连本门教义都弄不明白，整张脸涨得跟个苹果似的，义寂法师羞愧地说：“说起来真是惭愧！这确实是天台宗的教义，还是智顗大师所说的慧言，可是我也不懂它的意思。”

吴越忠懿王反问：“怎么会这样呢？”

义寂法师坦诚地说：“不怕您见笑，我们天台宗现在有名无实，空有一个架子而已。因为自从唐末战乱以来，教内的经典全都散失殆尽，我发愿四处搜寻，却只找到了一部，如今没有教典可以传承，恐怕天台宗也要因此灭亡了！”

吴越忠懿王一听，着急地说："天台宗可是中国佛教的主流，怎么会沦落到这个地步呢？有什么办法可以挽救呢？"

义寂法师想了想，说："在中国是一定找不到了，但是在日本、高丽也许有。"

吴越忠懿王一听，慷慨地允诺："那好办！我来帮您把流传海外的天台宗经典再找回来。"

义寂法师感激地答谢："如果真能找回经典的话，不但是您的一大功德，也是天台宗的福气啊！"

于是，吴越忠懿王从自己收藏的宝库中，挑选出五十种奇珍异宝，并派遣十名使者，搭船远赴高丽及日本各个天台宗寺院，希望能把散失的经典再请回来。

“什么！中国的天台宗已经没有自己的经论，这怎么可能？”

听到使者提出的请求，几乎每一个海外天台寺院的住持都感到不可思议，因为他们的经典都是从中国传来的。这一回中国反过来要找回经典，他们也感到事关重大，便立刻答应了：“中国天台宗有难，大家都是同宗同派，我们当然会伸出援手！”于是，他们各自派出自己寺院的僧人，护送经典到天台山交给义寂法师。

当收到日本僧人送来的最后一部经典后，义寂法师一直皱着的眉头终于舒展开来：“各位，天台宗全部的经典都已经齐了！”

在场所有天台山的僧侣，同时发出兴奋的声音：“我们天台山的宝藏终于找回来了！”

小沙弥这时对义寂法师轻声地说：“师父，那您以后不要再皱眉头，也不要叹气了！”

义寂法师的眼中泛着喜悦的泪光，说：“师父答应你，绝对不再皱眉头了。”

从此，中国的天台宗又再度复兴起来，如果没有义寂法师的发心，这些天台宗的经论也不会重现中国，而义寂法师的眉头大概会皱上一辈子吧！

看见未来的人

大师密码 Vision 远见

和家人到森林里的小木屋度假，是件开心的事。但如果只有自己全年留在深山的小木屋里整天读经修行，可就是件累人的事了！出生于日本平安时期的最澄大师，据说他的先祖是归化日本的汉人。他十四岁出家，在东大寺受戒后，独自在比叡山动手盖了仅可容身的小屋。虽然最澄过着艰苦的山林修行生活，声名反而远播到日本天皇耳中，请他下山入京传法，并让最澄随着遣唐使团入唐。

最澄冒着可能因暴风雨葬身海底的危险，抵达中国的天台山国清寺受戒，完成学法任务后回国。但由于最澄所学的密法不足，所以他谦虚地礼拜比他年轻的空海为师，一时传为美谈。后来，最澄创立了日本天台宗，空海则创立了日本真言宗，两人并列为日本平安新佛教双璧。

小档案 最澄

- 国籍：日本
- 谥号：传教大师
- 专长：研究佛学
- 影响：日本天台宗始祖
- 事迹：在比叡山设立大乘戒

一个大雪纷飞的冬天，有一位出家人托着钵，形单影只地走进一座村庄。村里每户人家都紧掩着大门，路上没有一个人，他在雪地里的两行脚印，显得更加冷清。

这时，有户人家的老婆婆开了门叫住他："最澄师父，这种坏天气你还跑下山，一定是山上没东西吃了！"

最澄点点头："是啊！出来托钵❶一趟很费时间，占去了不少修行时光，这几天食物都吃完了，不得已只好下山了。"

❶ **托钵**：出家人以手持钵，游行街市以化缘乞食。

最澄为了让自己更精进地了解佛法真义，以解救日本无数苦难的心灵，从夏天开始，便独自到比叡山[2]禅坐苦修，过着艰苦的生活，不但吃的东西有一顿没一顿，身上的衣物更是单薄，每晚住在自己砍柴建造的简陋草棚里，冬天时常会被冻醒。

老婆婆将热腾腾的饭菜倒在最澄的钵里，还塞给他一包东西："这是您母亲路过此地时，托我转交给您的，因为她找了您很久都找不到人。"

[2] **比叡山**：为日本天台宗山门派的大本山。

最澄接过包袱，想起以前一家人和乐融融的情景，母亲总是微笑地对他说：“你在家真好，让我们感到很幸福。”

回到小木屋后，最澄打开包袱一看，里头是母亲亲手做的冬衣和许多干粮。最澄当晚就穿着棉袄暖和地睡了一觉，他还梦见回到家后快乐的感觉，醒来时，却只剩山上呼啸的冷风与他做伴。

最澄理智地摇摇头，对自己说：“不行！这些都过去了，我是为了证悟佛法才来到这里的，怎么可以贪图安逸呢？”

他立刻把棉袄脱下来，小心地收拾妥当，向远方遥拜：“母亲，真的很感谢您。”

最澄凭着他的毅力严苛地修行，终于使比叡山成为浊世中的一股清流，许多僧侣仰慕最澄的德行和改革佛教的理想，纷纷前来投奔他。就在最澄入山十二年后，比叡山已形成一个大僧团，连桓武天皇也邀请最澄到宫中指导佛法。

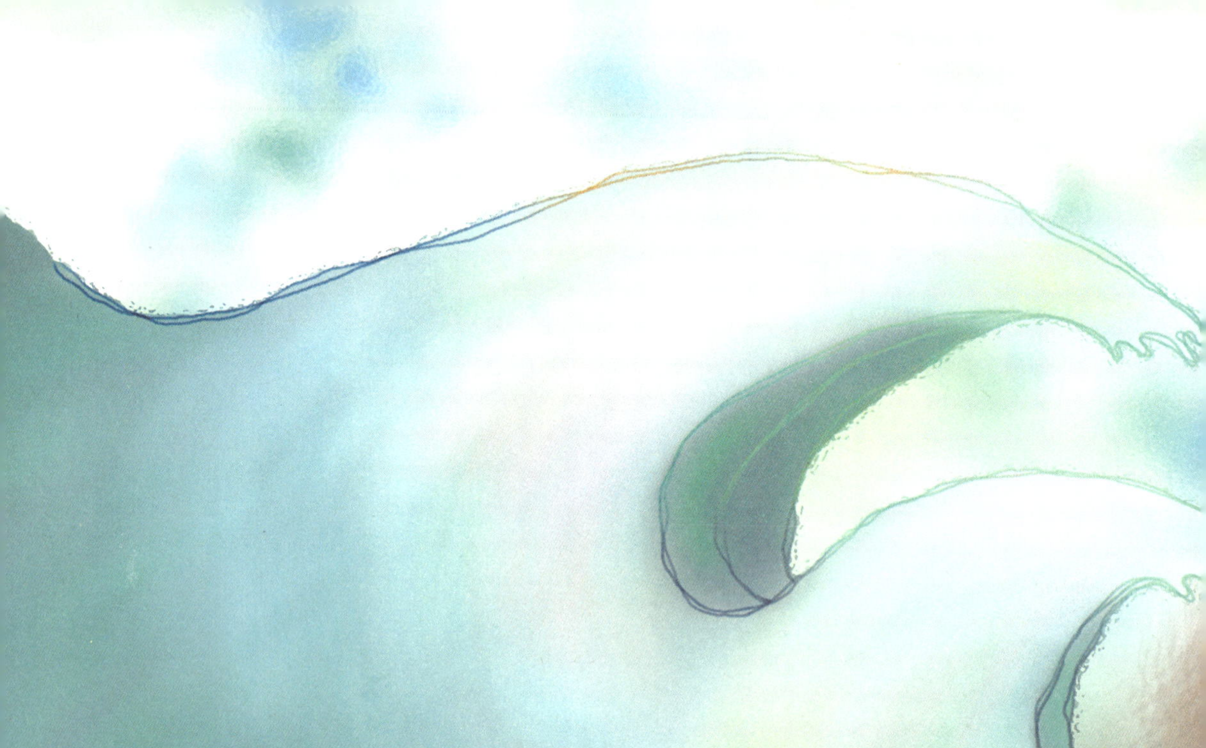

“师父，您在想什么呢？”见最澄师父陷入沉思，弟子泰范好奇地问。

“我正在想，去宫内陪伴天皇好吗？我出家是为了利益众生，而不是得到名利权势，更何况权力会使人腐败。”最澄法师说出了他的忧虑。

弟子泰范说：“师父一直希望能收藏所有的经典，如果入宫后，请天皇下令搜集经典，不是比较容易完成吗？”

最澄法师点点头：“嗯！你说得对！或许还有机会到大唐学习天台宗的教义。”

为了日本佛教未来的发展，最澄法师选择进宫接受供养，果然一如所愿，在很短的时间里，将分散在全国各地的经典，集中到比叡山收藏。而且还搭上遣唐使的船，到中国接受大乘菩萨戒，并到天台山学习天台宗教法，带了无数的经典准备回日本。

由于船期延后一个月，最澄法师和弟子义真便去了龙兴寺参访，巧遇了在此学密法的日本僧人空海[3]，但由于最澄法师的船期已到，只好先行回国。义真忍不住抱怨：“真可惜！我们在龙兴寺只学到一部分密法而已。”

[3] **空海**：日本僧人，为日本真言宗始祖。

最澄倒是放心地说：“没关系！等空海法师回日本后，我们再向他学习全部的密法。”

义真为师父叫屈说：“可是师父您年纪比他大，地位比他高，要低头向他学习，不是太委屈您了吗？”

最澄法师笑着说：“闻道有先后，怎么可以用年龄来划分呢？一个七岁孩童，如果有智慧的话，都能当七十岁老先生的老师。最重要的是能不能学到法，而不要在意是向谁学习。”

义真佩服不已地又说：“师父，您真是虚怀若谷！”

当最澄法师回到日本时，桓武天皇已卧病在床，为了替天皇祈福，最澄法师在宫中举办了一场密教的灌顶❹仪式，但两个月后，桓武天皇还是不幸过世了。

❹ **灌顶**：灌顶有授权的意思，也就是授予修行者修学密教的权利。密教受戒，皆须行灌顶。

最澄知道自己对密教所学不足，等空海法师回国后，特地亲自前往，拜比他年轻许多的空海法师为师，虚心向他请教。但学习密法要花三年时间，五十岁的最澄，决定还是以建立日本天台宗，弘扬天台教义为主，所以派弟子泰范等十七位弟子跟随空海法师修习密法，自己只向空海法师借阅经典来读。

有一次，最澄法师写信向空海法师借一本密法最重要的经典，却遭到了空海法师的拒绝，空海法师的理由是："最澄法师不能只靠读经来理解密教，应该亲身体验才是，所以这部经典，我无论如何都不能借他，以免遭到误解。"

最澄法师得知后，并不以为意，还跟弟子义真说："空海大师的顾虑是对的，我不能强求。"

三年过后，最澄法师送去向空海法师学习密法的弟子们统统回来了，唯独最聪慧的泰范却坚持留在空海法师身边，此举轰动了整个佛教界，大家都认为空海法师的能力比最澄法师强，最澄法师不但拜空海法师为师，连自己的衣钵传人都投奔空海去了。

义真义愤填膺地说：“要不要去空海法师那里，把泰范带回来？”

最澄法师却摇头说：“强摘的果实是不会甜美的，我没有时间再抱怨这些了！如今日本推动天台宗的时机已经成熟，眼前最要紧的事，是在比叡山建立大乘戒坛，才能彻底地实践《法华经》[5]所说‘人人可以成佛’的理念。”

[5]**《法华经》**：是自古以来流传最广的佛经，认为一切众生都能成佛。

弟子义真犹豫地说："可是一向支持师父的桓武天皇已经过世，朝廷的旧宗派势力仍主张小乘戒，师父的这个愿望可能实现吗？"

最澄法师坚决地说："这可是大乘佛教❻能否在日本发展的关键时刻，我们当然要不屈不挠地奋战下去。"

就这样，最澄法师不辞辛苦，数次下比叡山远赴京城，将请求设大乘戒坛的奏文，亲自呈给朝廷。可是新天皇迟迟没有批准，直到最澄法师病逝后，经弟子们再度争取，才终于获准。而具有远见的最澄法师，也成为了带领日本朝大乘佛教迈进的一代先驱。

❻ **大乘佛教**：大乘佛教以救度众生为目的，不以自得解脱为目标，就像是容量大的交通工具般乘载众人。

不背叛自己的心

大师密码 Virtuous 有德行

每一位被皇帝迎请来中国传授佛法的印度大师，都绝非等闲之辈。求那跋陀罗不但是位博学多闻的智者，更具有高尚的美德，因此在中国能历经三代皇帝，深受文武百官的敬重。

求那跋陀罗出身于中印度的婆罗门家庭，从小就广学天文学、算数、医学、宗教等，展现了过人的聪慧资质。后来因为读到佛教论典《杂阿毗昙心论》，深受启发，于是改信佛教，从此剃度出家。他先学小乘佛教，后来又学大乘教法，精通大、小乘经论。

刘宋文帝听闻他的盛名，特别遣使请他到建康祇洹寺译经。后来求那跋陀罗又应谯王邀请前往荆州讲经，由于他在群众中极具威信，谯王叛变时还挟持他逃亡，幸好后来获救了，求那跋陀罗更以志节赢得了帝王的敬重。

小档案 求那跋陀罗

- 国籍：印度
- 别称：摩诃衍
- 专长：佛学、医学、天文
- 影响：翻译许多重要佛经
- 事迹：历经三代帝王与政变，以品德清高受敬重

一艘从印度驶向中国的船，在无风的海上搁浅了好几天。所有的淡水都用完了，船还是一动也不动，船客们个个惊慌失措，不知如何是好。

这时，有位印度的出家人说话了：“请大家冷静下来，着急也没用，不如跟我一起虔心诵念‘观世音菩萨’[1]圣号，我们一定会获救的。”

[1] **观世音菩萨**：是大慈大悲的菩萨，只要诵念观世音菩萨的圣号，菩萨就会寻声救苦救难，并帮助诵念者实现所祈求的愿望。

眼下也没有其他更有效的办法，全船的人只好跟着他专心诵念圣号。不久，天空乌云密布，降下了倾盆大雨，众人无不开心地拿着锅碗瓢盆来接水；后来，又刮起了一阵大风，大家惊讶地你看看我、我看看你，听见船长大喊一声：“把帆张起来，出发！”

这时，船长带领着全船的人向出家人跪拜：“师父！我们全因为您而得救了，您的德行真是令人信服啊！”

当船在广州靠岸后，南朝的宋文帝刘义隆带着一群官员恭候在码头，准备迎接这位出家人。这时大家才知道，原来他是宋文帝特地请到中国来译经的印度大师——求那跋陀罗。

求那跋陀罗被迎往京城后，开始进行佛经翻译的工作。后来，他收到谯王的邀约："我将镇守荆州，希望您能一起前往，为我讲经说法。"求那跋陀罗欣然同意，并接受了谯王的邀请。

有一天，谯王想请求那跋陀罗讲解《华严经》❷，但是求那跋陀罗的中文还不太流利，担心会词不达意，因此早晚礼拜观世音菩萨，祈求菩萨的帮助。

❷《**华严经**》：为《大方广佛华严经》的略称，是极重要的大乘佛教经典。

有天晚上，求那跋陀罗梦见一位身穿白衣、面容慈祥的人，一手拿着利剑，一手提着一颗人头，来到他的面前问：“你在忧虑什么啊？”

求那跋陀罗说：“我不会汉语，无法讲解《华严经》。”

白衣人一听，笑答：“别担心，我来帮你。”

说完，一剑砍掉了求那跋陀罗的头，然后把手中的头换上去，接着叫求那跋陀罗试着转动一下头，问：“痛不痛？”

求那跋陀罗回答：“不痛。”白衣人立刻化为白烟消失了。

求那跋陀罗醒来后，转了转头，并未感觉异样，但精神却变得更好了，思绪也更敏锐了，而且一张嘴竟然可以说出流利的汉语，于是他开始为谯王讲解《华严经》，将整部经文内容，说得精辟入里，博得了众人的赞叹。

谯王每天睡觉都会做噩梦，因此他向求那跋陀罗求救。求那跋陀罗一听就测知到谯王未来一年内将会密谋叛乱，便奉劝他说：“京都将有大乱，但结果恐怕对您不利，如果能安分守己的话，自然可以避开祸害。”

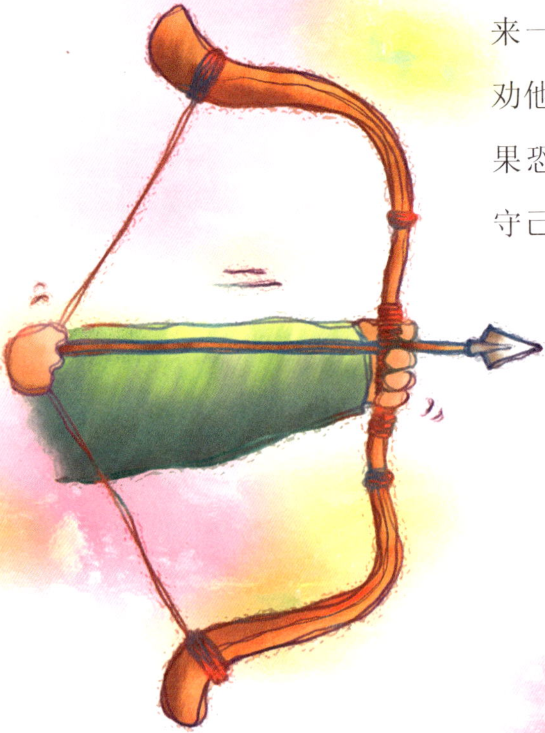

但谯王不听劝告，趁新皇帝宋世祖刚建立政权，就发动叛变想要夺取王权，果然如求那跋陀罗所料，谯王的军队吃了败仗，一路撤退到江边，而求那跋陀罗也被挟持，被迫跟着逃亡。

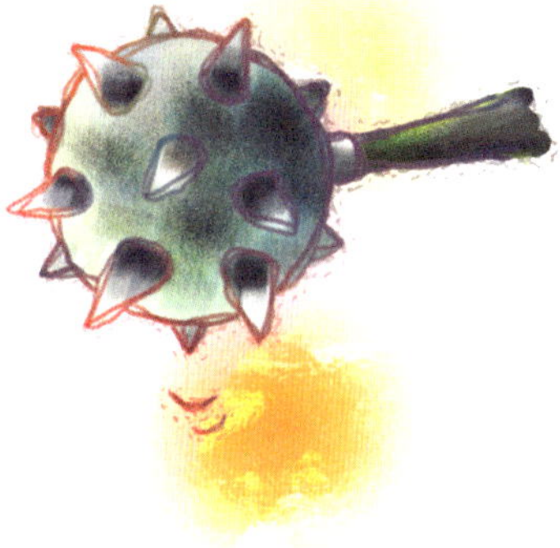

可是，他们所乘坐的船只非常窄小，此时离岸已经很远了，求那跋陀罗心想：“江水如此汹涌，船小人多，再这么下去船一定会沉的，不如我跳水以减轻船的重量吧。”他便一心诵念观世音菩萨圣号，手里拿着一根竹杖跳进江中，引起船上的人一阵呼喊：“大师！”

小船很快就随波漂走了，江中只剩下求那跋陀罗，他惊讶地发现江水竟然不深，而且不太湍急，便用竹杖撑着，慢慢向岸边游去，安然地脱困了。求那跋陀罗上岸后，回头往江面一看，依然是一片滔滔急流，他知道一定是菩萨暗中帮助了自己。

新登基的宋世祖对求那跋陀罗一向十分敬重，下令如果找到求那跋陀罗的话，一定要好好善待他，绝对不可以轻慢无礼。后来求那跋陀罗被找到，再度返回京城。经过查证后，宋世祖知道他没有参与叛乱，仍然十分礼遇他，但对于他和谯王的交情，还是不免嫉妒地说："谯王都自身难保了，还非把您带在身边一起逃亡不可，您这回离开他，会怀念他吗？"

求那跋陀罗坦诚地说："我受谯王供养十年，朝夕相处这么长的时间，当然会想念他。当初谯王不听我的劝告，才会产生今天的恶果，如果皇上允许的话，请让我为他烧香三年，以消除他的罪障。"

求那跋陀罗毫不避嫌的超然德行，更加受到宋世祖的尊敬，宋世祖点头答应，并赞誉说："大师果然德行高洁，今天您诚心为谯王烧香，将来也一定会诚意为我祈福的。"

求那跋陀罗的德行就这样远播四方，吸引了更多的僧众拜他为师，为了弘法方便，皇帝还为他建造了一座佛寺。

不过，奇怪的事发生了。每到半夜，就会听见寺门被推开，还有人呼唤的声音，但寺僧前去探看时，周围却连一个人影也没有，只剩下推开的寺门，被风吹得咿咿呀呀地响。

“师父！会不会有鬼啊？”僧人们看着黑暗中的寺门，鸡皮疙瘩都起来了。

求那跋陀罗却说：“去睡吧！去睡吧！”顺手把寺门关上。

但众僧哪里睡得着？不是失眠就是做噩梦，搞得体力不济，连念经都猛打呵欠。

求那跋陀罗知道后，特地烧香，经过一番祈祷后，从此，寺庙就安宁了。此后，众僧们更加佩服求那跋陀罗的德行。

辩论大牛王

大师密码 Vigorous 活力

西班牙的斗牛赛常常是人山人海，场场爆满，但是斗牛赛不稀奇，要能斗智斗过被尊为“辩论牛王”的陈那，那才稀罕呢！因为陈那是印度最会辩论的人，虽然所有的辩论高手都以和他一较高下为竞争目标，却没有人可以胜过他。

生于南印度香至国的陈那，由于出身于婆罗门世家，从小就受到良好的教育，所以他的逻辑思维能力非常强。原本父母期望他长大后成为优秀的婆罗门，但陈那觉得佛法的智慧更吸引自己，因此改信佛教，出家拜世亲大师为师。

陈那在世亲大师的亲自教导下，深得佛教逻辑学的要领，成为大乘唯识宗佛教著名论师，辩倒无数外道论师，中兴佛教。他创立佛教“新因明学”，因此被尊为“中世纪正理学之父”。

小档案 陈那

- 国籍：印度
- 译名：域龙
- 尊称：中世纪正理学之父
- 影响：为新因明始祖
- 事迹：辩赢印度无数外道论师，中兴佛教

古印度著名的佛教大师世亲在禅坐时，眼皮突然跳了三下，他睁开眼睛，朝寺院门口看去，一位年轻的婆罗门正朝他而来。世亲大师笑了一下，心想：“人终于来了！”

年轻的婆罗门 ❶ 一见到世亲大师，立刻跪在地上，并说明来意：“我名叫陈那，特地从南印度前来请求尊者教导我禅定 ❷ 的方法。”

世亲大师毫不迟疑地答应：“好啊！只要你能在祛除眼睛、耳朵、鼻子、舌头、身体与意识后，找出真正的‘我’就可以了！”

陈那听后点点头，开始认真地寻找，但怎么找都找不到。

❶ **婆罗门**：古印度社会阶级最高的人，掌握印度所有知识与学问。他们的责任为学习与教授知识、为自己与他人祭祀、布施与受施。

❷ **禅定**：令心专注于某一对象，达到不散乱的状态。较深的禅定可以让身心安乐、寂静，并超越各种烦恼障碍。

有一次，陈那在寺院点起了灯火，把身上的衣服统统脱掉，赤裸着身体跑来跑去，希望在脱除一切障碍物后，可以通过明亮的火光找到真正的自己。

寺院的住持知道此事后，赶来把陈那训斥了一顿："你在做什么？全身光溜溜地在佛门圣地到处乱跑，成何体统！"

陈那坦率地回答："我在找'我'啊！"

住持一听更气了："你找'我'需要这样找吗？简直是破坏佛法！你走吧！不要留在这里了。"

陈那没有反驳住持，他来到世亲大师的座前叹气说：“我找不到真正的‘我’。”

世亲大师笑答：“那是正常的事，因为你的真我被外界的一切给蒙蔽了，只有佛法才能帮助你找到真正的‘我’。”

于是，陈那跟随世亲大师勤奋地学习佛法，世亲还传授他辩论的学问，聪颖的陈那论证佛法的能力更是突飞猛进，愈辩愈明白佛法的真义，除了世亲大师外，印度所有的人都已经不再是陈那的辩论对手了。

当大家跟陈那辩论时，往往就被他一开始的气势折服了一半，最厉害的是，陈那每一句话都引经据典，还能雄辩滔滔连续好几天，当全部人都累瘫在地上时，他却依然活力十足。

世亲大师对陈那的表现非常满意：“我所有的智慧都传给你，你的辩论功力也不在我之下了，接下来的路，就要靠你自己去完成！”

陈那问：“怎么完成呢？”

世亲笑答：“走到哪里，辩到哪里啊！通过你的利舌，把佛教正法传播出去，你这充满活力的家伙，做这件事再适合不过了！”

就这样，陈那离开了世亲大师，辗转到印度各地与不同教派的宗教师论战，借机弘扬佛法。当他来到北方的佛教学术中心那烂陀寺讲学时，一些婆罗门弟子得知消息后，特地跑去跟当地知名的婆罗门领袖苏突罗奢耶通风报信：“师父，不好了！事情严重了！”

苏突罗奢耶睡午觉睡得正香甜，突然被人吵醒，脸色很难看地问：“干什么！什么事急成这样？”

弟子们上气不接下气地回答：“来了——来了一个可怕的劲敌！”

苏突罗奢耶一听，精神为之一振：“什么劲敌吓成这样，在这个世界上，还有人是我的对手吗？”

年纪最小的弟子直言不讳：“有！”

苏突罗奢耶气得瞪着他问：“谁？”

弟子怯懦地说：“就是那个陈那啊！听说他继承了世亲大师的辩论机智，辩论所向无敌，很厉害呢！”

苏突罗奢耶拍了一下床头说：“竟然有这号人物！你们去帮我约下个月的今天，我来好好跟他辩一辩，彻底地修理他一番。”

弟子们一哄而散，拿着师父的战帖，跑去那烂陀寺送给陈那，陈那气定神闲地说：“跟你们师父说，不必等到下个月，明天就可以了！”

本来苏突罗奢耶想，先花一个月时间好好准备一下，再跟陈那交战，被陈那这么一说，只好硬着头皮答应了。

这事情不到一个小时，在整个城里就传遍了，大家都迫不及待等着看明天的好戏，那烂陀寺已经很久没有这么热闹，受到众人的瞩目了。

第二天一早，苏突罗奢耶早已站在城中央的擂台上，鼓动群众，为自己助长声势。可是，当陈那胸有成竹地出现在他眼前时，一看见陈那带着自信的、微笑的脸，苏突罗奢耶不知怎地腿就软了。

他原以为陈那只是个佛教徒，不懂婆罗门教义，便举出大量的婆罗门哲理，想让陈那知难而退。谁知道出身婆罗门家族的陈那，不但曾是著名的婆罗门，还精通所有的经论，他四两拨千斤，两三下就把苏突罗奢耶给辩败了。

现场响起一阵震天响的掌声："圣者，圣者！陈那是圣者。"

“等等，我也跟他辩一辩。”

陈那的辩论威力，同时也吸引了不少其他的外教论师想来挑战，但他们一一被陈那击败了，心服口服地皈依❸了佛教。

由于陈那的辩论具有强大的说服力，全印度的僧人和外教人士，都以击败陈那为荣，陈那成为当时众人最想辩论的头号人物。来找他论辩的人，从印度各地一拨接着一拨而来，但却没有人可以胜过活力充沛的陈那。陈那从不因论战各地、捍卫佛法而感到疲惫，因此得到了“辩论牛王”的称号。

❸ **皈依**：成为佛教徒的一种仪式，表示回到佛教的佛、法、僧三宝，依靠佛、法、僧三宝的指导修行。

经过多年辩论的熏陶，陈那深深地明白了师父的用心："原来一切的痛苦根本，都来自对正法的不明白，所以师父才要我通过辩论把正法传出去，而我也应该把如何获得佛法智慧的方法写下来。"因此，陈那开始着手书写许多宝贵的典籍。

陈那对佛教最大的贡献是，另创一条新的体认佛教的道路——因明学[4]，把佛教推到一个崭新的时代。

[4] **因明学**：是佛教用来诠解哲学思想的形式方法，相当于佛教哲学中的逻辑学。